Para mi
SÚPER PAPÁ

V&R
EDITORAS

Por tu causa tengo tortícolis.

Eso ocurre SOLAMENTE porque

siempre estoy mirándote a ti.

Para mí, eres un héroe...

como un súper amorOSO, ¡un súper papá!

Y aunque no puedes volar...

no hay problema, ¡yo vuelo hasta ti!

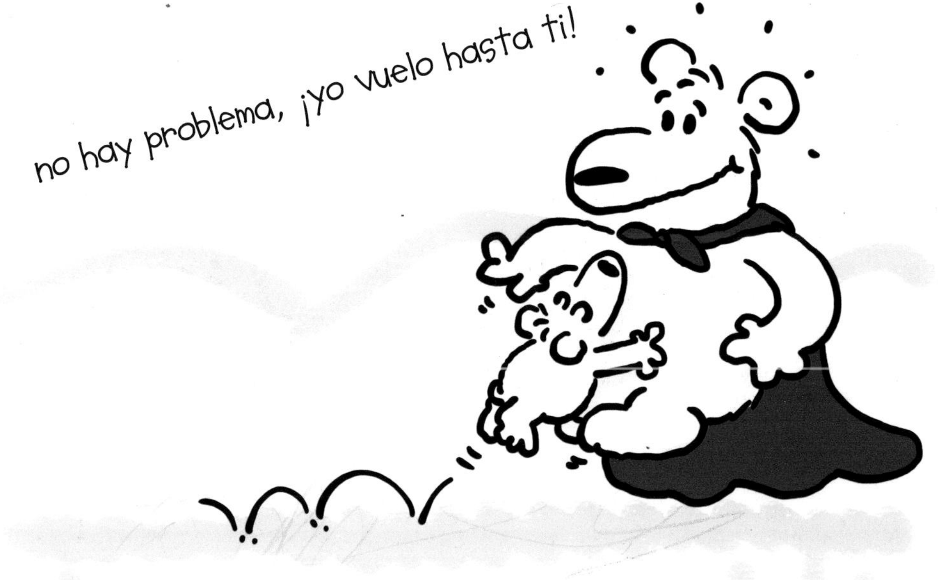

Me encantaría levantarte
un monumento...

pero no hay
tantos ladrillos
en este mundo.

de la misma madera.

Además de que,
afortunadamente, tus genes

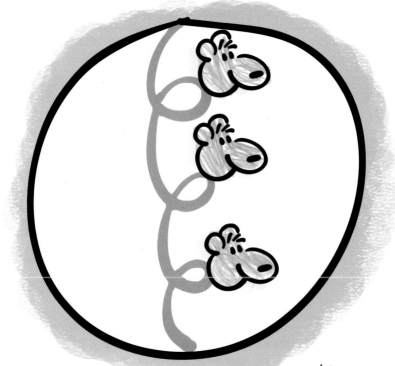

son los MÁS SIMPÁTICOS del mundo.

Y como siempre...

es genial seguir tus pasos.

SEGURAMENTE hubo momentos

en los cuales no cooperé mucho.

Pero los dejaste pasar...

Incluso cuando estabas muy ocupado...

siempre me dedicaste TU EXCLUSIVA atención.

Desde el primer momento

estuviste disponible para mí.

me protegiste.

Lo que tú puedes hacer

Porque todo el mundo
tiene un padre,

hasta la luna, ida y vuelta.

Tienes tantas cosas para contarme...

y NO IMPORTA lo que digas,
porque todo lo escucho feliz.

Jugar contigo es lo máximo. Siempre.

Aun cuando con el tiempo
te has tranquilizado...

has sido siempre tú

quien le ha dado un IMPULSO enorme a mi vida.

Dondequiera que me lleves,

me sentiré feliz por estar a tu lado.

Y no lo olvides:

Sé muy bien

que debajo de esa
capa tan gruesa,
eres muy cariñoso.

Para mí,
eres el más fuerte, el más genial

y el mejor padre del mundo.

Y por eso, muchas veces, digo por lo bajo:

GRACIAS,
PAPÁ.

Título original: *Für meinen Super-Papa!*
Traducción: María Inés Redoni
Texto e ilustración: Alexander Holzach • Adaptación: Cristina Alemany
Diagramación: Agustina Arado

Argentina: Demaría 4412, (C1425AEB), Buenos Aires
Tel./Fax: (5411) 4778-9444 y rotativas e-mail: editorial@vreditoras.com

México: Av. Tamaulipas 145, Colonia Hipódromo Condesa,
CP 06170, Delegación Cuauhtémoc, México D. F.
Tel./Fax: (5255) 5220-6620/6621 01800-543-4995
e-mail: editoras@vergarariba.com.mx

ISBN 978-987-612-534-5

Impreso en China • Printed in China

Mayo de 2013

Holzach, Alexander
Para mi súper papá. - 1a ed. - Ciudad Autónoma
de Buenos Aires: V&R, 2013.
48 p.: il.; 12x16 cm.

Traducido por: María Inés Redoni
ISBN 978-987-612-534-5

1. Libros de Frases . I. Redoni, María Inés, trad. II. Título
CDD 808.8

¡TU OPINIÓN ES IMPORTANTE!

Puedes escribir sobre qué te pareció
este libro a **miopinion@vreditoras.com**
con el título del mismo en el **"Asunto"**.

Conócenos mejor en:
www.vreditoras.com
facebook.com/vreditoras

Alexander Holzach nació en Munich, Alemania.
Desde los 17 años se ha desempeñado como dibujante y humorista gráfico
en diversos medios de comunicación de su país.

Tiene una extensa carrera en el mundo de las tarjetas de salutación,
las historietas y el humor. Desde 2007 se ha especializado en la creación
de libros regalo con sus simpáticos personajes que, poco a poco,
van conquistando a públicos de distintas latitudes.
Para mi Súper Papá es una de esas tiernas y divertidas propuestas
para regalar y sonreír.